Texto: Ana Serna-Vara
Ilustraciones: Margarita Menéndez
Diseño y maquetación: Natalia Rodríguez

© SUSAETA EDICIONES, S.A.
Campezo, s/n - 28022 Madrid
Tel.: 913 009 100 - Fax: 913 009 118
www.susaeta.com
ediciones@susaeta.com

el Ratoncito Pérez

Texto: Ana Serna-Vara

Ilustraciones: Margarita Menéndez

susaeta

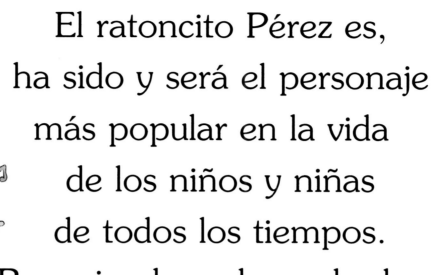

El ratoncito Pérez es,
ha sido y será el personaje
más popular en la vida
de los niños y niñas
de todos los tiempos.
Recogiendo cada noche los
dientes de leche caídos
y cambiándolos por regalos.
Pero…,
¿sabéis por qué el ratoncito
Pérez empezó esa extraña
y divertida costumbre?
¡En este libro
lo descubriréis!

El ratoncito Pérez

A ratoncito Pérez le encanta deslizarse, de día y de noche, por el pasamanos de la escalera que conduce al sótano.

¡Mi dienteeeeeeeeee!

¡Plom, plum, plam, plim, plum!
¡Mi dienteeeeeeeeeee!
¡Un ratón que se precie, no puede vivir
sin dientes!

¡Cacaracacaracacacaraca!

—Doña Gallina, ¿puede darme uno de
sus dientes? —preguntó el ratoncito.
—¡Cuánto lo siento! ¡Las gallinas no tenemos
dientes! Pero puedo darte esta piruleta.
Y, cacareando, se fue con él.

—Señor Burro, ¿puede darme uno de sus dientes? —preguntó de nuevo el ratoncito.

—¡Lamento decirte que los burros viejecitos ya no tenemos dientes! Pero puedo darte este globo tan bonito.

Y, rebuznando, se fue con él.

—Señor Árbol, ¿me puede dar uno de
sus dientes?

—¡Cuanto lo siento, ratoncito Pérez!
Los árboles tenemos ramas, hojas, incluso
flores… ¡pero no tenemos dientes! Sin embargo
te daré esta rica nuez.

Y respirando, respirando, se fue con él.

¡Croac, croac, croac!

—Señora Rana, ¿podría darme
uno de sus dientes?

—¿Dientes yo? ¡qué bobada!

Las ranas tenemos una hermosa y larga

lengua, ¡pero no tenemos dientes! ¡Toma,

te daré este yoyó tan divertido!

Y, saltando, se fue con él.

El ratoncito Pérez

—Señor Cerdo, ¿sería tan amable de darme
uno de sus dientes?

—¿Mis dientes? ¿Has dicho uno de mis
preciosos dientes? ¡Ni hablar!
¿Cómo comería yo mi rica comidita?
Lo que sí te daré será esta moneda.
Y, gruñendo, se marchó con él.

—Señor Búho, ¿me puede dar
uno de sus dientes?

—Estimado ratoncito Pérez, ¡las aves no
tenemos dientes! Pero te puedo decir cómo
conseguirlos. ¡Pregúntale a la Luna!

Y se fue en busca de la Luna.

¡Sssssssssssssssssssssssss!

—Señora Lunaaaaaaaaaaaaa, ¿dónde puedo
encontrar un diente?

—No grites tanto. Aunque esté lejos, puedo
oírte perfectamente. ¡Sígueme, te conduciré
a casa de Blas, al que hoy
se le ha caído un diente!
Y ratoncito Pérez siguió a la Luna.

Ratoncito Pérez, la gallina, el burro, el árbol,
el cerdo y la rana suben sin hacer ruido,
uno tras otro, la larga escalera.

El ratoncito Pérez

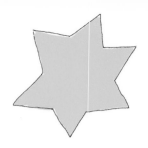

Ratoncito Pérez entra muy despacito en
la habitación donde se encuentra Blas
profundamente dormido.
¡Por fin, allí, debajo de la almohada, encuentra
el tan deseado diente!

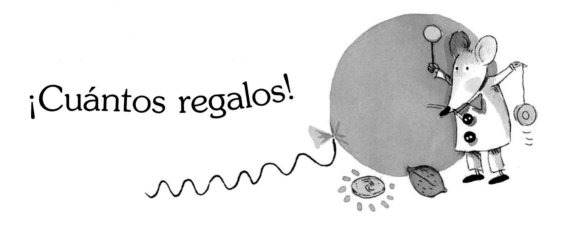

¡Cuántos regalos!

El ratoncito Pérez coge con sumo cuidado el diente de Blas y, junto a su cama, le deja un montón de regalos: la piruleta, el globo, la nuez, el yoyó y la moneda.

El ratoncito Pérez

Y para celebrarlo, ratoncito Pérez, ahora ya muy sonriente con su diente, organiza una gran fiesta, a la que están invitados: la gallina, el burro, el árbol, el cerdo, la rana, el búho y, por supuesto, la Luna.

Desde entonces,
el ratoncito Pérez, ya
puede volver a deslizarse
por el pasamanos de la
escalera y hacer todas las
locuras que se le ocurren,
porque cuando él o
cualquiera de sus amigos
necesitan un diente,
acuden a casa del niño
al que se le haya
caído ese día y se
lo llevan... a cambio de un
precioso regalo.